봄꽃

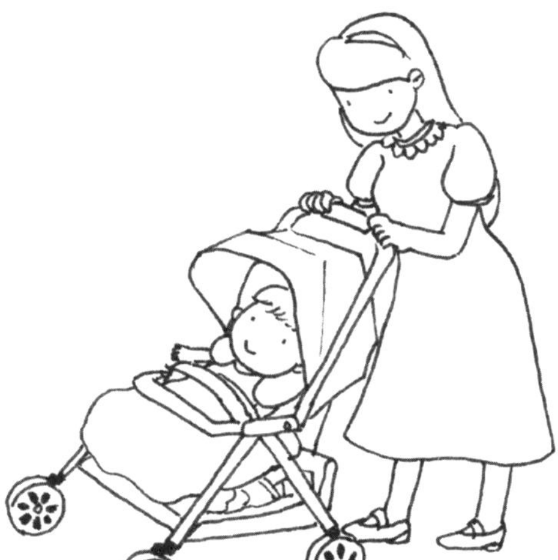

봄이 왔어요.
엄마와 아기가
산책을 가요.

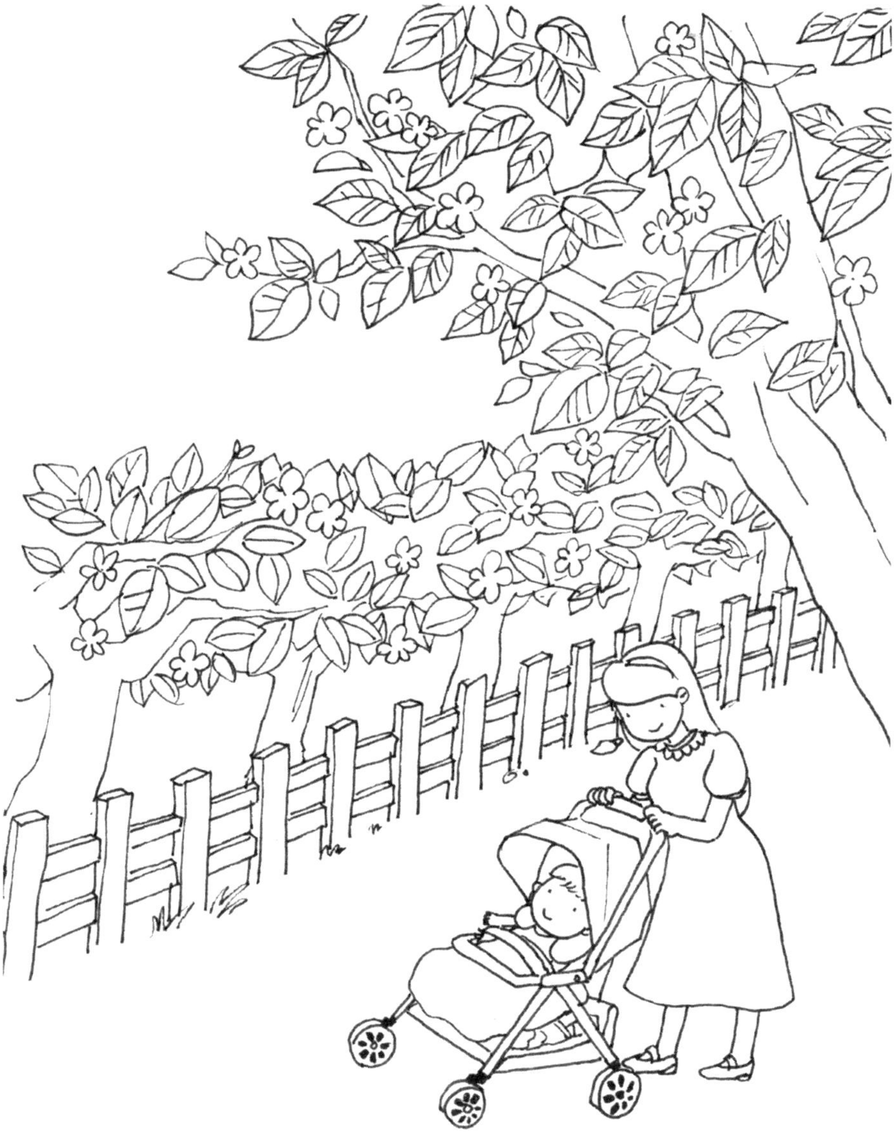

사과나무에는
사과꽃이 피었어요.

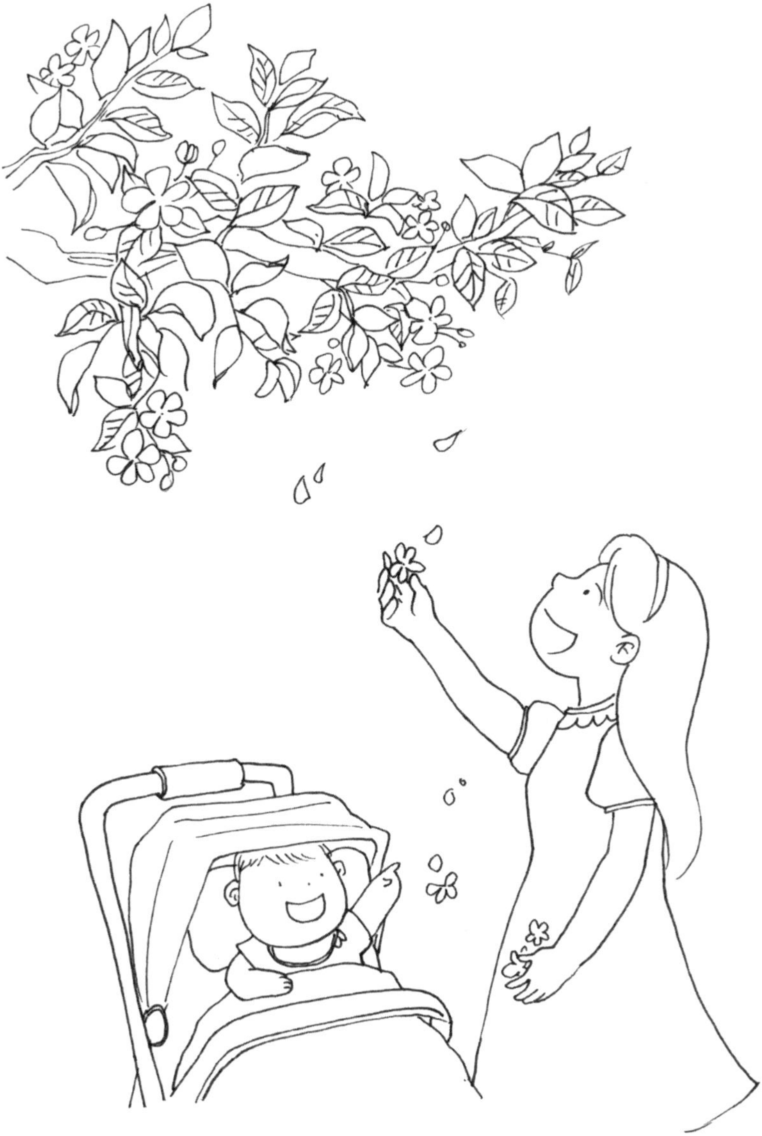

배나무에는
배꽃이 피었어요.

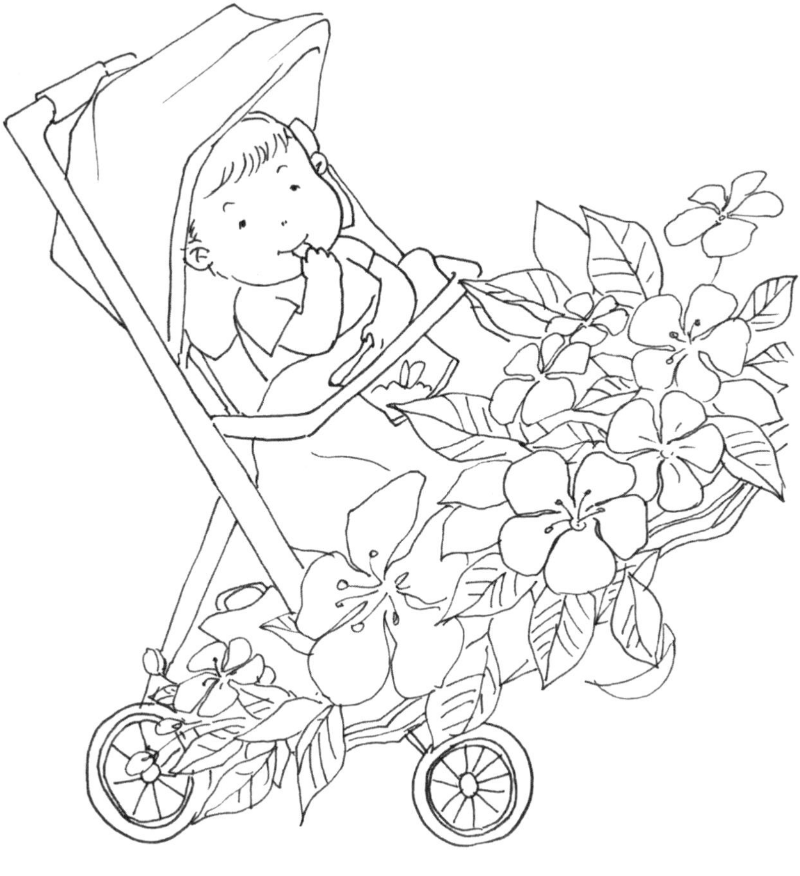

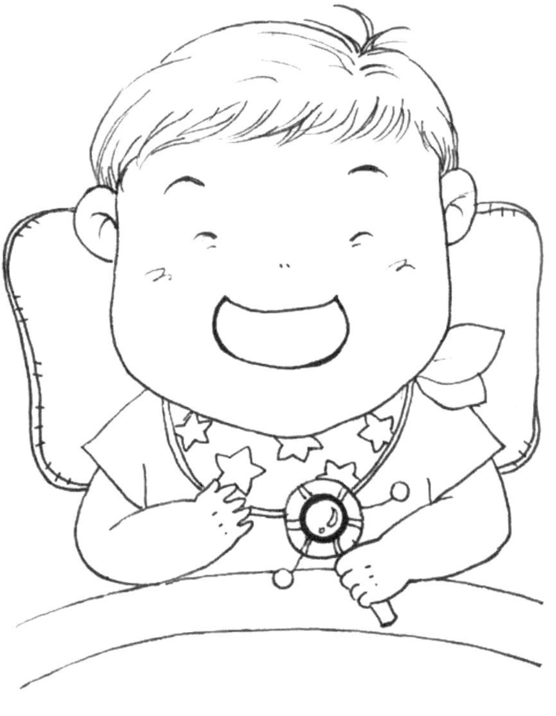

아기 얼굴에는
무슨 꽃이 필까요?